6/9

Q.

Ecoute, mon ami

IL A ÉTÉ TIRÉ DE CET OUVRAGE
DEUX CENT VINGT EXEMPLAIRES SUR PAPIER VERGÉ PUR FIL
DES PAPETERIES D'ARCHES,
DONT DEUX CENTS NUMÉROTÉS DE 1 A 200
ET VINGT NUMÉROTÉS DE I A XX

Louis Jouvet

Ecoute, mon ami

COUVERTURE ET ILLUSTRATIONS
DE
CHRISTIAN BÉRARD

Flammarion

— *Ecoute, mon ami.*

— C'est à moi-même que je m'adresse.

— « Il faut penser ses sensations ».

— Les ayant triées, choisies, échantillonnées, essayées, contrôlées, il faut ensuite les penser, les fixer, les écrire avec des gestes ou des inflexions. La mémoire aveugle suit ce mécanisme, et le corps s'illumine, s'éclaire, s'échauffe et se refroidit, se contracte, dans cette chaleur saisie. Le cerveau s'éclaire ensuite de cette illumination, de cette lumière, mais la sensation est le point de départ.

C'est là notre métier.

LOUIS JOUVET

— *Phrases* — sensations, mouvements, sonorités, écrites, brûlées, sublimées par le poète — et puis ensuite pour l'acteur — giclées de sensations, fusées de sentiments, comme des mèches, des cordons de fulmi-coton.

— (Celui-là joue pour son plaisir, mais hélas il ne donne aucun plaisir aux autres).

— Il y a dans le corps agissant, jouant, de ces éclairs qu'on prend pour des idées — indéfinissables — informulables — que j'ai tenté vainement parfois de fixer — chauds effluves, subis, communiqués, renvoyés, retournés, — bouffées, retours de flamme — l'on se sent écran et amplificateur, instrument participant;

un courant passe, révélateur, qui vous échauffe tout entier et vous laisse à nouveau froid ou vide — nostalgique — avec l'impression que l'on n'est pas ce que l'on joue, et pas non plus ce que l'on est ; et qu'on est autre chose, qu'on ne sait pas.

Mots, paroles — (et terminologie du théâtre) — « planches jetées sur un abîme avec lesquelles on traverse l'espace d'une pensée (sensation), qui souffrent le passage et point la station. L'homme en vif mouvement les emprunte et se sauve mais s'il insiste le moins du monde, ce peu de temps les rompt et tout s'en va dans les profondeurs ». (VALÉRY)

Mots — étiquettes placées sur des placards inexplorés, sur des tiroirs débarras — signes approchés.

Nous sommes toujours en émoi, nous autres, dupes de nous et des autres, toujours doubles, plus que tous les autres, toujours entre le moi et le soi ; l'excellence, la supériorité, le miracle de notre vocation est dans cette instabilité, ce milieu ; c'est aussi notre infamie, notre pauvreté, la source de tous nos dérèglements, et du dédain qu'on a de nos occupations, et notre émoi ne nous permet jamais de gagner ce repos de l'esprit qui est réflexion, cet ajustement de l'esprit à ce que nous sommes, à ce que nous faisons.

La connaissance que nous pouvons gagner de nous-mêmes ne peut se faire que par personne interposée, par fréquentation imaginaire. C'est ce qui rend ce progrès si difficile, mais c'est aussi ce qui le rend unique et rare, lorsqu'on sait le chemin pour y accéder.

J'ai écrit ces notes après une classe, une répétition, une représentation.

Réflexions écrites de ce que j'enseignais, de ce que je croyais devoir enseigner par des propos dits dans l'admiration. Réflexions faites aussi par l'étude, l'observation des élèves, des auteurs, par la surveillance de ce goût de plaire au public qui est notre apanage. Par l'observation des qualités et des défauts des autres et de moi-même (c'est même substance, selon l'usage) j'ai écrit ces notes.

Ce ne sont pas des méditations ou réflexions personnelles, mais des observations, le « consignement » de ce qu'étaient les élèves,

de ce que je devinais qu'ils étaient.

Je me suis souvent révélé ma jeunesse et moi-même en observant la leur.

Ce ne sont pas des réflexions d'expériences, dans un plaisir de justification, ou un besoin d'avoir raison ou de triompher, pour légitimer des succès, ou expliquer des échecs. Ces notes, préceptes reçus, remarques faites, suggestions rêvées, c'est par la fréquentation des élèves et des comédiens qu'elles me sont venues, leur façon de se présenter et de s'ajuster au métier, leur attitude première, leur façon d'*aborder le théâtre*... Alouettes ou papillons, ivres ou avides. Adolescences découragées. Réfugiés. Appareils à mesurer l'ambition ou la joie de vivre. Pléthores ou insuffisances.

Ce fut un contrôle aussi de mes idées et révélation en moi, découverte des autres par introspection, par les signes extérieurs, leurs comportements devant le rôle ou le personnage, découverte et éclairement en moi-même, et suscitation, explication de ma jeunesse, à moi aussi, de mes débuts.

Une discipline de recherches, une orientation de moi-même dans mon métier, la découverte de l'attitude vraie.

Je me suis éclairé moi-même par les autres.

Puis-je à mon tour les informer?

Instables, agités par tout autour de nous, subissant fortement les plus légères, les plus futiles influences, accessibles à *tout ce qui est particulièrement superficiel, de surface, êtres de réaction,* c'est le superficiel qui nous atteint le plus, qui nous trouble le mieux. C'est le superficiel qui nous trouble profondément.

Le profond ne nous touche que par la surface. Mais, bien exprimé, bien peint, le superficiel est aussi fécond, aussi efficace par les effets qu'il produit. C'est le théâtre, et ce superficiel donne un air profond.

Le dramatique est émoi profond et obscur. Il est le résultat et la cause de cette tendance, de ce caractère des gens de théâtre.

En émoi, pressés, avides d'émoi, d'une provocation, et si nous ne subissons pas les effets de cet état, ce remuement en nous-mêmes, c'est une nouvelle, une autre instabilité que nous subissons.

L'absence d'émoi est un émoi nouveau et pire — un tourbillonnement absurde. Il nous faut tourbillonnants. Un tourbillon, un remuement intérieur, provoqués par un sentiment même léger, une idée même apparente, une sensation, enfin une intrusion recherchée ou subie ; sinon nous tourbillonnons à vide. Il nous faut être orientés constamment, sinon nous sommes désorientés.

C'est par cette désorientation que nous vivons dramatiquement. C'est cela qui nous met perpétuellement en quête de sensations ou d'idées, qui nous propulse et nous jette et nous agite dans le dramatique.

Si le comédien veut descendre dans le profond, il est lourd et se noie.

Il faut, *dans sa participation,* qu'il reste en surface, c'est là qu'il a le plus de chances, de facilités pour peser sur l'âme et l'esprit du spectateur.

Telle est *la règle du jeu* que Diderot a mis en devinette.

Provocateur habile, ce n'est ni sa nature ni son métier d'être profond.

Ecoute, mon ami.

Je me parle à moi-même.

C'est à toi aussi que je parle, comédien, mon frère.

C'est moi qui me parle à moi-même.

Ecoute tout le difficile et le compliqué du métier.

Considère-toi dans ta vocation.

Elle n'est pas ce que tu crois.

Choisis ce que tu veux devenir.

Tu as pris une grave responsabilité envers toi-même, envers les autres, envers le Théâtre, envers l'esprit et envers Dieu.

Pour être comédien, *il faut se montrer.*

C'est d'abord un plaisir de vanité pure et de présomption téméraire.

Il dure (parfois) jusqu'à la mort.

Mais si un jour tu t'aperçois de cela, tu auras découvert l'important du métier ; peut-être est-ce son but, sa fin essentielle.

Car tu comprendras, tu seras sur le chemin de comprendre,

que pour bien pratiquer ce métier l'important est dans :

le renoncement de soi

pour l'avancement de soi-même.

Tu comprendras que la niaise manie

d'un « *nom* » et de ton « *moi* » encombrant te possède,

et que pour être personnel, il faut d'abord se dépersonnaliser.

Et que la personnalité la plus haute est faite d'impersonnalité, d'une distillation et sublimation de soi-même.

A travers le serpentin des opérations dramatiques.

Le commentaire m'obsède.

Il faut se limiter et limiter aussi ses connaissances. Il y a une limitation de soi-même à trouver, des limites à tracer autour de soi.

On se perd dans une recherche sans fin.

Il faut trouver le moyen de ne pas

poser, de ne pas se poser de questions,

afin d'obtenir ce *vide, cet état préalable au dramatique* où l'on sent monter en soi le sens intérieur, interne, intime d'une phrase, d'une scène, qu'apporte une phrase dite, une scène jouée.

On vit d'autant plus dans la nouveauté, dans le nouveau d'une convention, qu'on réutilise l'ancien, les conventions d'autrefois.

Il ne faut pas vouloir se survivre par orgueil ou vanité — reproche que me fait P. Il faut se placer en dehors du temps; c'est une recherche vaine peut-être, mais nécessaire pour œuvrer, pour vivre dramatiquement — sur scène —, c'est recherche de solidité, de durée, d'existence, de connaissance stable.

Ces propos sont sans importance.

Ils sont extra-dramatiques, c'est par là qu'ils gagnent une importance extra-ordinaire.

C'est la vie intérieure du comédien qu'ils visent, *car un métier est une façon de vivre.*

Ce ne sont pas les recettes du métier qui importent le plus, mais l'attitude, l'esprit pour le pratiquer. On choisit un métier pour s'accomplir.

Une vocation est un miracle qu'il faut faire avec soi-même.

Il y a une illusion propre à l'acteur et une illusion spéciale au spectateur.

Leur point de départ, leurs causes sont les mêmes.

Ce sont les fondements de la *convention* théâtrale.

Il faut retrouver, réinventer le théâtre en partant des nécessités, des besoins des participants.

Les notions d'Aristote, telle qu'il les offre, sont sans doute déduites de ses réflexions, mais elles ont gagné avec le temps un « à priorisme » qui les rend stériles à l'esprit. Le théâtre tel qu'il l'a entendu est trop loin de nous.

Pour faire du théâtre, il faut d'abord une convention ; elle est différente à chaque époque — ce sont les règles du jeu, elles s'altèrent suivant les participants.

Il faut que l'auteur, les comédiens et

le public aient une convention commune,

— qu'ils conviennent en commun des règles ou procédés pour cette recherche de l'*illusion*.

— Cette convention crée une *tradition*, une habitude, un état d'esprit qui à son tour aménage, transforme les procédés d'exécution, suivant les circonstances, les lieux, le public.

— La tradition (non pas les traditions) est un état d'esprit ; les traditions en sont les recettes ; leur efficacité est relative.

— Le grand théâtre, le classique, me touche par sa *tradition* humaine, dramatique ; cette plénitude qui le rend indéfiniment, éternellement adaptable, accessible et efficace — quelles que soient *les traditions* dont on l'accommode, la *convention* où il est contraint.

Son pouvoir d'illusion et de *provocation,* ses possibilités d'*exécution,* de traduction, sont stables, disponibles et jamais il ne passe de mode.

Tout ici est inversé.

On commence par le brillant, le faux, le simulacre, pour aller à une vie intérieure.

« L'idée — dit Teste — n'est rien tant qu'elle n'est pas devenue corps, habitude — habitude provisoire, bien entendu ».

Il s'agit de descendre de l'abstrait pour aller à la sensation — *« s'incarner »*, c'est dans ce sens qu'on peut entendre ce mot. Un comédien n'incarne jamais un héros, il peut à la rigueur « s'incarner » dans les traits et façons d'être ou de dire d'un *caractère*, d'un *rôle;* — c'est déjà plus rare pour un *personnage*.

Et puis il faut, du *personnel,* aller à une sorte d'*impersonnalité,* qui est de plus en plus nécessaire au fur et à mesure que l'on aborde aux entités dramatiques.

On peut dire aussi — étrange contradiction — que plus un rôle est abstrait, plus il s'élève vers les entités dramatiques, — héros ou personnage — plus on peut le distribuer diversement, plus on peut le marquer de particularités, plus il supporte la diversité des acteurs.

Ecoute, mon ami.

Il y a maintes raisons et nécessités pour que tu sois mon ami.

Je ne saurais écrire ces propos qu'à un ami.

Tu es mon ami, parce que tu vas faire du théâtre.

Il y a des propos qu'on ne peut tenir qu'en amitié.

Il y a une disposition d'esprit et de cœur qu'on ne peut avoir qu'avec un ami.

Et si ce que j'écris ne devait être lu qu'une fois, par quelqu'un qui sentirait toute l'amitié que je mets à le faire, tout serait juste et justifié.

Ce sont des propos intimes, il leur faut un ami.

J'écris ces lignes, exilé, loin de mon pays, de mon théâtre, de mes amis ; j'ai besoin d'un confident. J'ai besoin d'amitié. Tout le théâtre n'est qu'amitié — à part ceux qui discutent pour avoir raison et qui perdent cette amitié, par vanité ou amour-propre.

ÉCOUTE, MON AMI

Ecoute mon ami, je ne te connais pas mais tu es mon ami. Il faut que tu le sois pour que je puisse parler...

J'écris par besoin de confidence et d'amitié. Je n'écris pas pour être discuté, mais pour discuter avec moi-même — ou que tu apprennes à discuter avec toi. Je n'écris pas pour polémiquer ou contester ou par goût d'une supériorité quelconque ou pour le désir vain de me « survivre » en laissant derrière moi ces propos.

Ce n'est pas non plus pour m'enrichir, avoir des contrats avec les éditeurs et passer pour un écrivain. Je ne sais pas écrire, je ne sais que me parler et me raconter.

Je tâche de m'expliquer à moi-même en bonne foi.

Voilà plus de trente années que je réfléchis sur mon métier, que je griffonne des notes, il faut que je les adresse à quelqu'un.

Si tu lis ces propos tu es mon ami, tu es celui auquel je m'adresse parce que j'écris par amitié et sympathie.

Ecoute donc, mon ami.

J'écris pour quelqu'un que j'aime, il faut que tu sois celui-là. J'ai besoin d'un auditeur amical.

Il n'importe pas que ce soit toujours le même, il peut changer, mais il importe que celui qui me lise sache qu'il est mon ami, et qu'il le soit.

Je ne saurai être sincère et confiant, je n'aurai d'éloquence qu'avec un ami.

A qui faire ces confidences et ces réflexions si ce n'est à un ami?

Dans la solitude, la timidité, à la distance et l'éloignement où je suis de tout, j'ai besoin d'amitié, je n'ai aucun orgueil.

J'ai trop parlé à des gens qui ne m'entendaient pas. Je me suis trop versé dans des vases déjà emplis, dans des bouteilles pleines, j'en suis tout humide, tout éclaboussé.

J'écris pour gagner un ami... pour celui qui sera mon ami en me lisant.

J'écris par amitié, anticipée, désirée, nécessaire. J'écris à celui-là qui aura l'amour du métier que je pratique.

Ecoute, tu es encore mon ami parce que, en m'adressant à toi, c'est aussi à moi que je m'adresse, que je parle, lorsque j'étais comme toi au début de ma carrière, que je voulais « faire du théâtre », que je cherchais, que je me préparais à « faire du théâtre », que je commençais à jouer.

En te parlant, en t'écrivant, j'écris et je parle à ce jeune homme qui est en moi et qui ne cesse pas de me questionner depuis trente ans, qui me questionne encore, et qui m'oblige à t'écrire et à te parler à toi, que je ne connais pas, mais que je vois comme un frère.

J'écris et je parle à ce jeune homme pour essayer encore de le renseigner — à ce jeune homme que j'ai essayé depuis trente ans de renseigner en m'informant, m'interrogeant, en lisant, en jouant, en le questionnant lui-même.

J'écris pour dire ce que je sais de notre métier ou dire ce que je ne sais pas, ce que je ne suis jamais arrivé à comprendre. J'écris pour dire *l'énigme du théâtre,* et de moi-même.

Car on ne peut rien savoir sur le théâtre, encore moins que partout ailleurs.

Il n'est rien de plus faux, ni rien de plus vrai que le théâtre.

C'est très compliqué.

Mais c'est la seule énigme bienfaisante dans la vie des hommes : la seule efficace.

Tout au théâtre est mêlé et emmêlé.

Tout est en reflets...

Et le comédien ne sait pas penser. C'est sa vertu.

Penser est le contraire de sa profession, de ses exercices.

Je ne t'apprendrai donc pas grand-chose.

Pendant les quelques instants où nous serons ensemble, il faut que nous soyons des amis, il n'y a pas d'autres moyens, moi pour parler, toi pour écouter.

Il faut apprendre à n'avoir pas d'objection en soi et contre les autres.

Laisse-toi aller, accepte, écoute, emplis-toi de ces propos, si vains qu'ils te paraissent, tu les vomiras après — mais l'écœurement est efficace, les efforts que tu feras pour rejeter ces idées, ces réflexions, te donneront une affirmation de toi-même, une force. On n'assimile rien au théâtre que pour restituer. C'est tout l'art du comédien.

Je m'adresse à quelqu'un pour qui j'ai de l'amitié, pour qui j'ai besoin d'avoir de l'amitié, afin de me donner confiance, pour m'encourager à me dire en me confiant, pour approcher, dans ce tumulte en moi, dans ce bafouillage, pour atteindre des idées. S'il faut que je cherche ces idées tout seul, sans interlocuteur, je n'y arriverai pas.

Les sentiments et les sensations m'étouffent; le penseur peut se parler tout seul, moi pas.

Si j'essaye de penser mes sensations, mon cerveau s'arrête, je demeure stupide, plus rien ne fonctionne en moi. Mais si je m'adresse à un ami, la sympathie que j'aurai en moi me fera parler, me fera dévider plus aisément ce que j'éprouve ou je ressens, mes impressions.

De ce fait, je ne suis jamais très clair. L'important est dans les impressions que je t'offre.

1942 — J'ai connu le théâtre romantique du mélodrame, et le théâtre symboliste, et le réaliste, et le théâtre du boulevard, et le théâtre littéraire et le surréaliste et le cubiste. Traversé par deux guerres, le Théâtre reste le Théâtre et trente années ne font pas une époque, mais une période.

Pendant trente années, pendant longtemps, soulevé par des impressions subies, ressenties dans l'exercice du métier, par le jeu, par la fréquentation des comédiens et du public, j'ai écrit des notes, je me suis parlé sur d'innombrables feuillets, cahiers, registres. Jamais je n'ai eu le temps de relire attentivement ce que j'écrivais.

J'ai cru accumuler des documents, des idées.

Deux ou trois fois j'ai tenté de classer ces « écritures », et j'y ai renoncé.

Faute de temps je pensais, mais en réalité faute de pouvoir trouver un lien qui rassemble ou ordonne toutes ces notes disparates.

Dans cet exil où je vis — et où un peu de loisir m'est permis — au cours de ce pèlerinage dramatique à travers l'Amérique du Sud, je m'aperçois que je ne suis ni un écrivain, ni un penseur...

Je n'en suis ni étonné ni déçu parce que j'en ai découvert la *raison : Je suis un comédien.*

J'ai repris l'une après l'autre toutes ces sensations que je croyais des idées, toutes ces idées qui ne sont que des sensations, et j'ai tenté de les classer, de les étiqueter, de les ordonner.

Je n'ai pas réussi à le faire.

Tout est obscur dans notre profession.

Le comédien est trop absorbé, trop concerné par son métier pour juger ce qu'il fait et pour en parler clairement.

Et cependant il faut en parler.

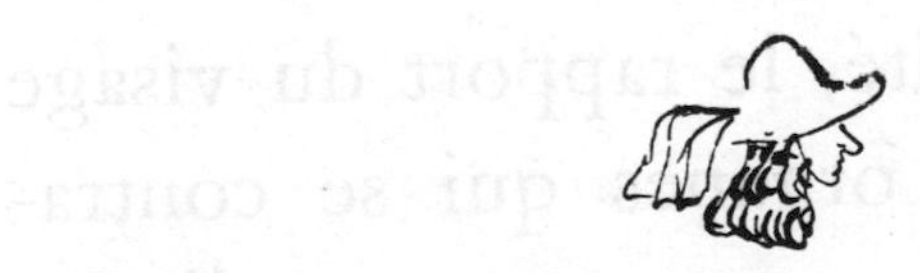

Ecoute, mon ami.

La proportion du corps, la taille et le masque, et la voix et la bouche et les yeux, les oreilles, les bras, les mains et les cheveux et le nez... et les jambes, et l'articulation des membres, leurs attaches et tous les rapports entre eux, entre ces organes.

La jambe et le buste, la station et la marche, et le pied et le volume du corps, et l'apparence de tout cela, l'air qu'ils donnent, l'impression qu'ils font, le total de tous ces contrastes, de tous ces rapports, harmonieux ou non, accordés ou non.

Et le repos et le mouvement, la lenteur et la vivacité, le rapport du visage avec les autres organes qui se contrarient, qui se mentent et se contredisent.

Et la façon d'ouvrir la bouche et d'articuler, de respirer aussi. L'immobilité et la mobilité et comment tout cela s'ajuste et s'organise et fonctionne et se met à vivre. L'expression vitale, vivante du corps entier!

Et ce qui devient important, ce qui compte dans les yeux, dans la bouche, par le regard ou par la voix!

L'expression, l'impression qu'on donne, et celle qu'on veut ou qu'on croit donner, l'expression et l'impression impersonnelle et la personnelle, parce qu'on croit les autres comme soi-même, et parce qu'on n'est pas ce que l'on croit ou ce que l'on est...

L'expression dite naturelle, et l'artificielle, qui est pour les autres — et leur chevauchement! Et ceux qui n'ont pas d'expression, et ceux qui en ont deux, ou trois, ou plusieurs! Et ceux qui sont sensibles, et ceux qui ne le sont pas ; ceux qui sont altérables et ceux qui ne le sont pas, les mimétiques et les figés.

Et le besoin d'exprimer et de dire, et

le goût qu'on en a — et ceux qui ne l'ont pas — et le besoin de sentir le rapport entre ce que l'on est et ce que l'on veut exprimer — cette distance, cet empêchement, cette impossibilité, ce mensonge.

Et ceux qui éprouvent sans pouvoir exprimer ! Et le rapport entre le sentiment et l'expression.

Et tous les changements, les variations qui s'y mêlent! Et les ressorts de chacun.

Le sentiment vague et le précis.

La diction et les sons, et tout ce que cela trahit.

Tout ce qui traduit, trahit, un état, une attitude.

Les inhabités, les timides qui se forcent, les exaspérés, les crispés, les simulateurs, les mythomanes, les inhibés, les exhibitionnistes, etc...

Diction et imitation, le perroquisme.

Le parler, le dire, la déclamation, la profération, toutes les formes et manières du discours, le rythme, la mesure, tout ce qui concerne la faculté de la parole.

Et le ton, et l'humeur et la transe.

Et les accords et les désaccords.

Et la possession et la vaticination.

De l'adresse, du monologue ou soliloque, de la réplique directe ou indirecte, de l'aparté, de l'invocation, de la tirade, du discours feint.

De parler seul ou en présence de quelqu'un.

Du public et du partenaire.

Texte, public et partenaires sont moyens et empêchements.

J'écris tout ceci en vrac. Il n'y a qu'à copier dans la table des matières de tous les ouvrages de physiologie, de psychologie, de grammaire, de phonétique, de déclamation...

Il y a peu de domaines, peu de sciences qui ne concernent l'acteur.

Et comment est la main pendant qu'on parle et ce qu'elle fait, ce qu'elle trahit.

Et de se sentir, de se surveiller, se contrôler, s'éprouver en éprouvant, se conduire, se ménager, s'entendre, s'écouter, de s'imaginer pendant qu'on « est » et que cela « n'est pas » — voir et entendre.

Ce que le cinéma démontre en vous montrant votre image animée, et les souvenirs qu'il avive soudain en vous, les sensations physiques qu'il vous restitue...

Que l'on a autant d'imagination que les autres.

Que toute cette vérité cherchée est faux semblant et illusions, et que la vérité est au delà.

Il y a dans la loge là-bas au fond, pendant que tu joues, un couple dont l'homme pense à ses affaires et la femme à son amant.

Et que tu veux faire du théâtre pour

te « réaliser », pour « exister », pour te fuir ou te trouver, te chercher, ou pour conquérir.

Et que le théâtre te dégoûtera parfois.

Et qu'il est nécessaire que le théâtre te dégoûte, que tu en voies et en éprouves le dégoût et l'écœurement.

Et le Personnage, et le Héros, et le pauvre rôle que tu joues.

Et tout ce qui traverse la tête parfois pendant qu'on joue, toutes les imaginations secondaires, simultanées, qu'il faut chasser de son esprit, les obsessions de certains soirs.

Des *provocations* à soi-même.

Et que dans ces matières on ne peut pas être intelligent, que pour l'être un peu il faut abdiquer l'intelligence.

Que ton intelligence ici est dépassée.

Et les *contraintes* astreintes, nécessités, les efforts nécessaires, leur bonheur et aussi leurs dures lois.

Qu'il ne faut pas vouloir ruser, et que c'est cependant une profession où l'on ruse avec tout le monde, avec soi, avec les autres, avec les personnages.

Que c'est toujours d'exécution qu'il s'agit, quelle que soit l'œuvre.

Que tu n'es qu'un instrument, pas nominatif, pas personnel.

Et toutes les pièces qu'il y a à jouer — il y en a plus que tu imagines et moins que tu crois...

Et toutes leurs différences (apparentes),

celles que tu voudrais jouer, et celles que tu joues.

Tous les rôles, tous les Héros — et « Toi ».

Et que tout est en toi « d'avance », il s'agit de ne pas le perdre.

Et que tout doit aller sans cesse jusqu'au bout, sans repos, en nécessité et mouvement,

avec le besoin de dire,

dans des textes (qui sont) *différents*.

Avec un état particulier pendant que tu joues selon ce que tu joues, pour le monologue ou la tirade, *un état intérieur*, spécial pour Molière ou pour Hugo.

Et la *sincérité*, qu'est-ce que c'est?

Et le rapport entre *l'exécution et la consommation* du rôle.

Et la communion.

Et que tu es différent des autres...

Que tu n'es pas ce que tu es.

Et que tu n'es pas ce que tu parais et cependant que tu n'es que ce que tu parais.

Tu n'es que le produit de ce que tu parais aux autres.

Où es-tu toi-même? quand tu vis, quand tu joues?

Tu n'existes que par un certain effort d'être dans une manière, une mode qu'il faut que tu apprennes, et que le rôle et les autres comédiens et le public t'imposent.

Qu'il y a un mode, — une disposition intérieure — pendant que tu joues, qui est différent suivant les conditions de la représentation.

Il y a un mode, un rythme, un état physique différents pour le potier suivant la matière qu'il pétrit et qu'il tourne et suivant la forme qu'il veut lui donner.

De la situation dramatique, qu'il y en a trente-six, dit-on, mais qu'elles sont infinies.

Que tout est toujours différent, que *l'accomplissement* n'est jamais le même à cause de toi, ou d'eux, ou du lieu, du costume, de l'heure, pour mille causes encore subtiles et informulables, qu'on éprouve mieux qu'on ne saurait les définir.

Les diapasons changent de ton suivant la température.

Et la *terminologie* que tu emploies.

Qu'on ne peut pas se servir de mots précis, ils ne le sont pas.

De l'effort.

Celui de lire, celui de parler, celui de dire, celui de jouer.

Et de l'acoustique ou de la dimension d'une salle, et de l'heure, et du nombre ou de la densité du public, de l'après-midi ou du soir, de l'humeur des autres et de la tienne,

et de la réputation, et de son influence sur toi, sur les autres,

de la *perte de personnalité,* perte de vitesse, perte d'élan, de toi, ou des autres, *domination exercée...*

Et de la tonicité, de (l'état de) la santé physique et morale, du personnage et de toi.

Et qu'il y a eu d'autres *acteurs* avant toi, et d'autres publics et d'autres théâtres, les Chinois et les Egyptiens, les Japonais et les Elizabéthains, et ceux du Moyen Age et ceux de la Grèce, les Thibétains et les collèges, les Persans et les Nègres, et les Hindous et les Primitifs, la tragédie et la comédie, et Eschyle et Voltaire et Le Franc de Pompignan et Corneille, et les genres, les diversités de texte et de construction, et les farces, les allégories, les moralités, et les comédies de Scribe...

Enfin qu'est-ce que le Théâtre et qu'y viens-tu faire?

Et le comique et le tragique? et le mélo-dramatique?

Le Théâtral et le Dramatique.

Et toutes les théories qui sont reformulées à chaque époque, l'exposition et le dénouement, la protase et la catastrophe et la parabase.

Et la *mémoire?*

Et le fait d'*appréhender un texte.*

Et TA VOCATION,

et ce que c'est que la vocation,

et qu'on peut faire du théâtre sans savoir tout cela, mais qu'il faut avoir réfléchi à TA VOCATION.

Les recherches que tu pourras faire, les conclusions provisoires que tu feras de temps en temps, et que tu croiras essentielles et définitives, sur ceci ou sur cela.

Sur le texte?...

« LE TEXTE »...

Et les *conventions,* et la *Convention,* et les *traditions,* et la *Tradition.*

Et qu'il n'y a pas de science du théâtre.

Tu n'as *dans ton cœur* que ta *vanité* ou ta *modestie* à utiliser.

Que tout est perpétuellement remis en question au théâtre, par l'auteur qui écrit, le comédien qui le joue, le public qui l'écoute...

Qu'il y a ce que tu imagines du théâtre et ce que tu n'imagines pas.

Et de la recherche du rôle et de la mise en scène.

Et le but du théâtre, sa fin, sa cause technique et sa cause efficiente et sa cause finale.

Et la Société des Auteurs et l'Union des Comédiens, et la Comédie-Française, et le Conservatoire et les classiques et les modernes, et l'opérette et le cirque.

Et la mission de l'acteur.

Et que le théâtre est un moyen de vivre, de subsister et d'exister et de se perfectionner, qu'il est salut et perdition.

Et de l'apprentissage et de la perfection.

Et du succès et de l'insuccès... de leur nécessité.

Et du cinéma.

Et de la radio, de la synchro.

Et que tout est changeant, mobile, qu'il n'y a ni méthode stable, ni éducation assurée. Il n'y a pas d'explications qui soient fixes, ou qu'on puisse fixer.

On n'entre ici que par des biseaux, des fissures, des solutions de continuité, l'entrelacs d'un filet, ou par effraction et violence, mais une fois dans la place, il n'est pas moyen de rien ordonner à sa guise.

Et le *sens* d'une pièce, sa *variabilité*, l'*inusable* et l'*inexplicable* d'une vraie pièce.

Et de la création, et de l'écriture, et du génie et de l'inconscient et du conscient.

De la *vanité* obligée, retenue, tempérée.

Du *trac* nécessaire.

De la *modestie* comme hygiène et contre-poids,

de la *présomption*,

de l'applaudissement, du succès, de leur nécessité, de leurs vertus, de leurs dangers,

de l'obligation de se contrôler et de se mesurer, à quoi? et comment?

Que c'est tous les jours Mardi-Gras et carnaval et que tous les lendemains sont Mercredi des Cendres, « Memento quia pulvis es ».

Du choix des auteurs, des *nourritures dramatiques et de leur régime.*

Que tu n'es et ne seras jamais qu'un exécutant. Qu'il y a une situation difficile, un équilibre compliqué entre ta propre supériorité, ta croyance, ta foi en toi-même et ta croyance aux autres contingences et au rôle, et une déférence, une soumission à ces contingences, au rôle et à toi-même.

Le « Soi » et le « Moi ».

Que c'est un métier dangereux, qu'il peut avoir de graves conséquences, qu'il peut engendrer des troubles graves, des séquelles.

Que lentement tu deviendras ce que tu es ; tu seras dans quelque temps responsable de ton visage et de ta voix, de ta sensibilité, de ton corps.

Dis-moi ce que tu joues, je te dirai ce que tu seras.

Ne jamais prendre rien comme étant inférieur.

La définition du TALENT.

Aptitude naturelle, faculté acquise, poids, monnaie, c'est un résultat.

Le résultat d'une attitude, d'un comportement, une façon de pratiquer son métier.

La conséquence d'un sens qu'on a de « faire ».

L'acteur place tout sur soi-même.

Le comédien place tout sur son personnage,

et tous deux ont vis-à-vis du public une attitude particulière.

Le talent c'est le sens d'un sérieux, d'une importance, d'une responsabilité considérée par un certain biais.

Chaque talent a un « trac » particulier et que les deux pôles du talent au théâtre pour l'exécutant sont la *présomption* et l'*humilité :* on va de l'un à l'autre dans le même moment, c'est l'équilibre de ces deux extrêmes qui donne une latitude spéciale à chaque exécutant.

Le talent est la conscience de ce qu'on fait et la manière de faire.

(Le dédoublement est autre chose, mais il se mêle au talent, c'est aussi un résultat, un sens de soi, une pratique qu'il faut constater, utiliser).

La conscience professionnelle dans sa pratique.

Evidemment il y a les dons, mais c'est avant d'avoir du talent.

Que le succès justifie tout et n'explique rien et seul l'insuccès peut être fécond.

Que le public a toujours raison.

Rien ne vaut que par épuisement de soi, c'est un métier sportif, physique.

Tout est suspect sauf le corps, et ses sensations.

Qu'on n'analyse rien.

Le Théâtre est un carrefour, un confluent, un cloaque, c'est aussi une osmose.

Ce que le public et l'auteur te demandent.

Où est la *vérité* du Théâtre? « Kabbale ».

Tout est plongé dans la « supercherie » et il n'y a que la « bonne foi » qui compte dans cette tricherie organisée.

Et de la perfection de soi, de la libération de soi, de l'évasion.

Des âmes intellectives.

De l'intuition.

De l'au-delà dramatique.

De la pudeur et de l'impudeur.

Et du paradoxe de Diderot qui n'est que la preuve de la dissociation de la pensée et des sentiments, des idées et des sensations.

Terminologie encore !

Dissertation sur des termes, des extrêmes qui s'excluent.

Diderot a défini le théâtre par cette énigme, mais il n'est ni spectateur ni comédien, et il n'est pas un poète dramatique.

Il n'a rien « subi » de cette passion dont il a vu clairement le « paradoxe » mais il n'a rien pu en conclure.

Conscience et inconscience! Sincérité et mensonge, c'est le même ruban sans fin et quand il se déroule on ne voit pas facilement si c'est l'une ou l'autre de ces couleurs qui passe.

Il s'agit d'une duperie de soi et des autres,

d'une *induction* de soi et des autres.

C'est l'art de se duper avec des sentiments d'une qualité très inégale et sujets à la mode.

Diderot ne nous dit que ce qu'il voit de contradictoire, qui pourrait être dérisoire...

Tu me diras que tu te fiches de tout cela,

et pour le moment tu as raison.

Tout est à la portée de ta main et de ton ambitieuse jeunesse, tu le crois, tout est espérable. C'est comme avant le tirage de la loterie. Tu es plein de force et de flamme, et tu n'as pas besoin de toutes ces considérations pour faire du théâtre.

Après tout ce déluge de propos, malgré eux, tu vas courir vers tes bâtons de maquillage, vers la séduction des coulisses, les succès et la griserie de la scène, et tu t'en tireras très bien sans tout ce fatras de propos qui veulent être savants! Tu as raison, tu auras mille fois raison. C'est cela la vie, c'est cela le théâtre. C'est d'abord l'élan et l'ambition et la présomption et la vanité, et la sincérité, et la foi. Tous ces noms désignent un même état d'ambition, de volonté, de don de soi.

Ce que je t'ai dit ne sert pas à grand-chose. Tu me vois la tête pleine de ces idées et qu'est-ce que j'en puis faire?

On fait du théâtre sans cela. Tu t'en tireras sans cela.

Intellectuel ou mystique, comme tu me crois, tu n'as pas besoin d'opter ou de choisir.

Et tout cela ce sont des « balançoires ».

A ton premier dégoût, à ton premier échec, après la chaleur de ton premier succès, au moment où le souci d'en avoir un autre te gagnera, nous reparlerons de tout cela.

Car tu auras des insuccès, et des dégoûts. Si ce n'est pas le théâtre qui te les donne, ce sera la vie qui se mettra entre le théâtre et toi.

Tu auras la bouche ou le cœur amers.

Tu l'as déjà ressenti, il y a mille façons de l'éprouver.

Ne t'illusionne pas.

Ton premier dégoût sera souverain, salutaire, c'est un moyen.

Tu as deux voies devant toi, ou subir, être un instrument inconscient, se laisser aller, porter,

ou essayer de comprendre, de servir, — participant et servant, de chercher une perfection par un but.

ÉCOUTE, MON AMI

Etre comédien avec ou sans mission, avec ou sans conscience.

Je ne dis pas que l'un vaille mieux que l'autre.

Je te dirai comme tu le diras plus tard, ce que je sais, ce que j'ai vu, ce que j'ai appris.

Ecoute, mon ami, ou alors, tourne la page et n'écoute plus.

L'Union Typographique, Imprimeurs
Villeneuve-Saint-Georges (S.-et-O.)
4-1952
Flammarion et Cie, Éditeurs
(N° 2.234)

Dépôt légal : 1er trimestre 1952
N° d'impression : 174-52

ÉCOUTE, MON AMI